怕浪費奶奶

文·圖 真珠真理子

譯 詹慕如

怕浪費奶奶來啦！

如果盤子裡有沒吃完的東西，
或是碗裡有沒吃乾淨的飯粒，
奶奶就會一邊說「真可惜」，
一邊走過來唷。

「還剩下這麼多，真是太可惜了。
可以給我吃嗎？」

咬咬、嚼嚼、吞～

「喔，這裡也有很多呢，真可惜。」

奶奶說完，就開始舔我的臉。

「啊── 不要這樣啦！」

「真可惜，讓我再多舔一下嘛。」

舔舔舔～

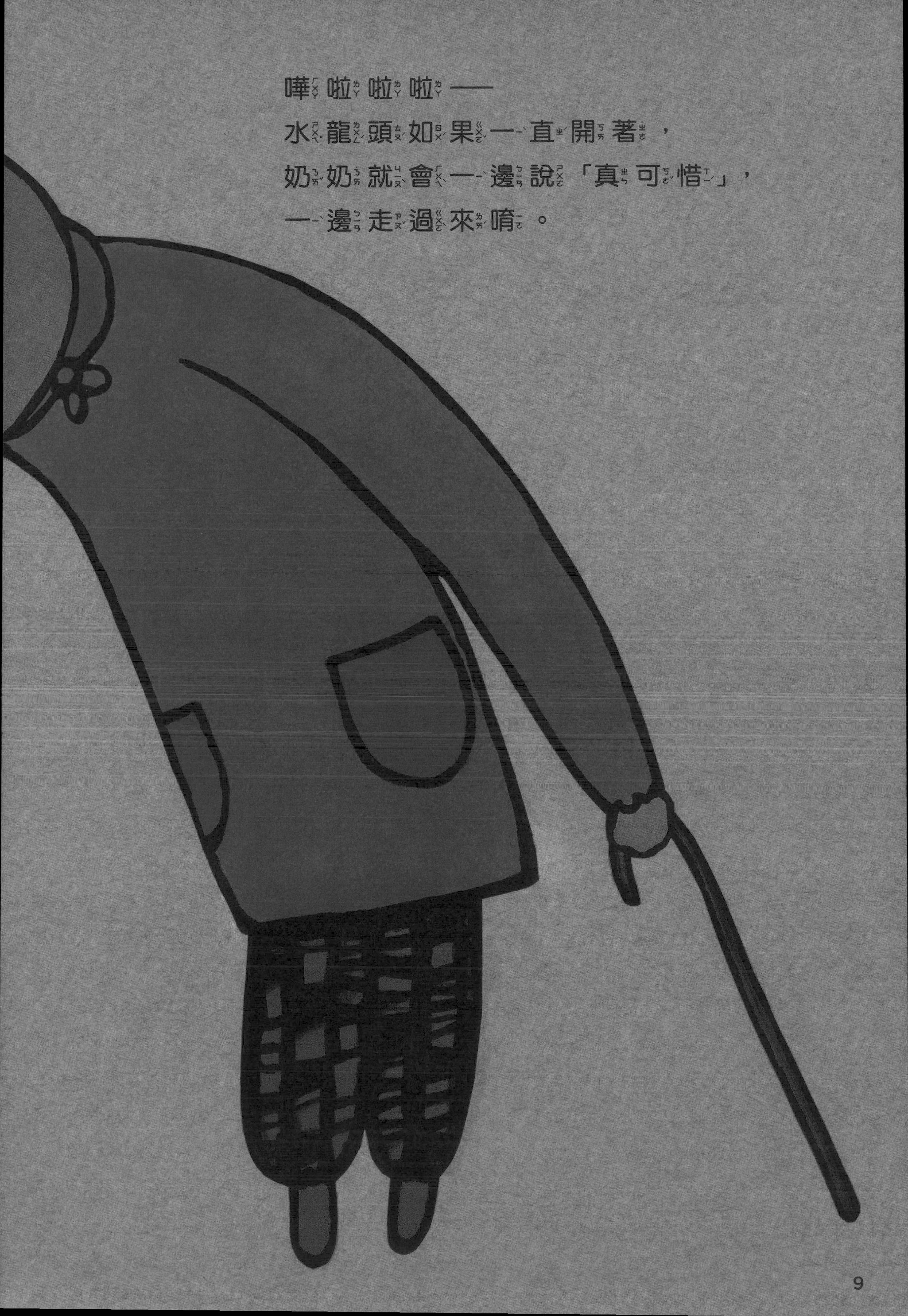

嘩啦啦啦——
水龍頭如果一直開著，
奶奶就會一邊說「真可惜」，
一邊走過來唷。

「刷牙用一杯水就夠了吧，

怎麼可以這麼浪費！」

我終於忍不住哭了。

嗚——嗚——

「哎呀哎呀，這些眼淚真可惜。」

如果把紙揉成一團，
奶奶就會一邊說「真可惜」，
一邊走過來唷。

「這些紙不繼續拿來玩，不是太可惜了嗎？」

打開、攤平、黏起來。

塗塗塗，畫畫畫——

「你看！怪獸裝完成了！」

發現剩下一小截的鉛筆，
奶奶就會一邊說「真可惜」，
一邊走過來唷。

紅色、橘色、黃色、黃綠色、
綠色、藍色、紫色。
「把七枝彩色鉛筆綁成一束，
猜猜看會變成什麼？」

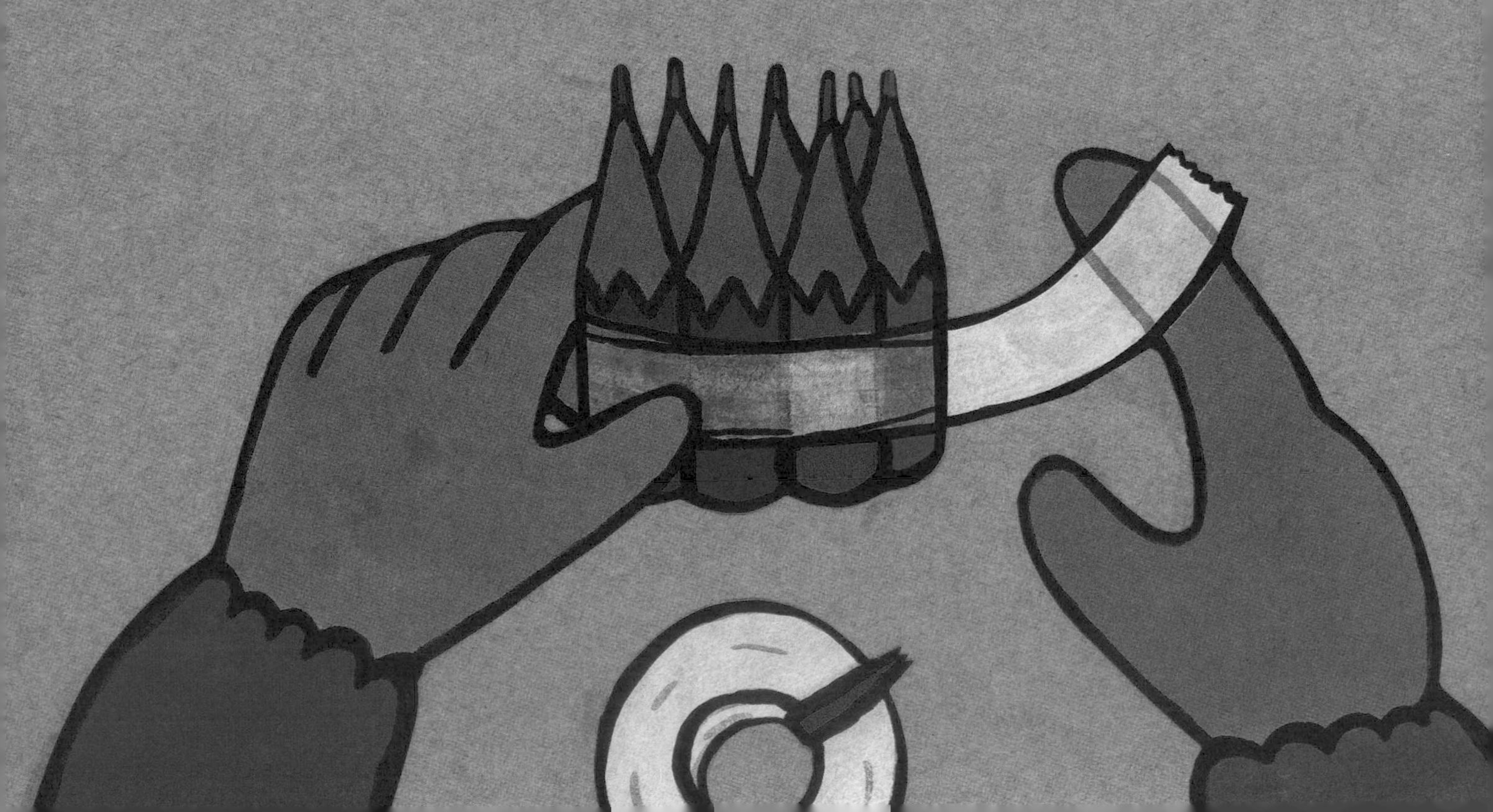

「彩虹鉛筆！」
「答對了。」

我正要把橘子皮丟掉，
奶奶就一邊說「真可惜」，一邊走過來了。

「把橘子皮晒乾後，
拿來泡個熱水澡，會很舒服唷。」

「好溫暖的橘子浴唷。」

拉
天黑了，
來開個燈吧。

「啊～真可惜，我要回家了。」
奶奶一邊說，一邊走回家。

「開電燈真可惜，
天黑了就該睡覺哇！」

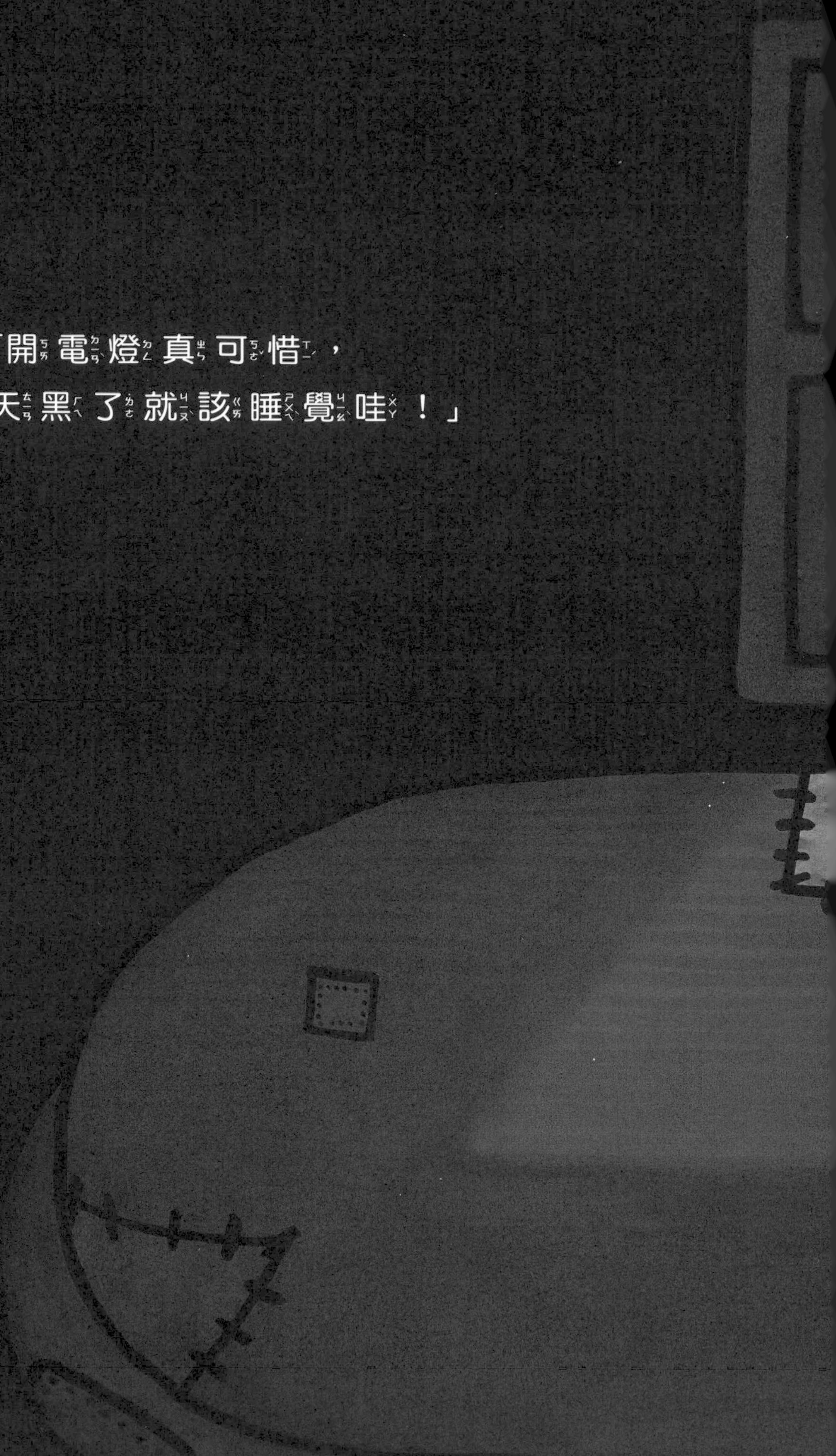

真可惜～真可惜～
你有沒有做過什麼
令人覺得可惜的事呢？

作者後記

「可惜」是什麼意思？有一天兒子這麼問我。

到底該怎麼解釋「可惜」這個概念呢？聽說在英文裡沒有完全對應的單字，在日文裡似乎也不容易說明清楚……這到底是什麼意思呢？為了能清楚說明這個概念，我畫了這套繪本《怕浪費奶奶》。

在我們的國家，有取之不盡、用之不竭的食物和物品，孩子們要切身體會「可惜」這件事，並不容易。

「可惜」這個詞彙，通常會在我們沒有把東西的價值發揮完全就丟棄，或者過於浪費的時候使用。在這兩個字裡，包含著我們對自然的恩惠、對提供物品的人應有的感謝和體貼。

希望閱讀這本繪本的孩子們能夠知道，智慧和創意可以幫助我們在日常生活中找到答案，同時也希望孩子們都能擁有愛物惜物的心，懷抱著愛和體諒，開心的學會什麼是「懂得可惜」。

真珠真理子

作者簡介

真珠真理子

出生於日本神戶，在大阪與紐約的設計學校學習繪本創作。2004 年出版的《怕浪費奶奶》（もったいないばあさん）大受歡迎，在日本獲得許多繪本獎項，並且在每日新聞、朝日小學生新聞等報紙開始連載，至今發行了 17 本系列作品，銷量突破 100 萬冊，並售出多國語言版權。

真珠真理子筆下的「怕浪費奶奶」多年來持續收到世界各地孩子們的喜愛，2008 年開始在日本各地展開「怕浪費奶奶 World Report」巡迴展覽，呼籲大眾關注地球上與我們生活息息相關的各種問題，並在 2020 年動畫化。

繪本 0270

怕浪費奶奶

文・圖｜真珠真理子（真珠まりこ）
譯｜詹慕如

責任編輯｜李寧紜
特約編輯｜劉握瑜
封面設計｜王薏雯
行銷企劃｜劉盈萱

天下雜誌群創辦人｜殷允芃
董事長兼執行長｜何琦瑜
媒體暨產品事業群
總經理｜游玉雪
副總經理｜林彥傑
總編輯｜林欣靜
行銷總監｜林育菁
副總監｜蔡忠琦
版權主任｜何晨瑋、黃微真

出版者｜親子天下股份有限公司
地址｜台北市 104 建國北路一段 96 號 4 樓
電話｜（02）2509-2800　傳真｜（02）2509-2462
網址｜www.parenting.com.tw
讀者服務專線｜（02）2662-0332　週一～週五：09:00~17:30
傳真｜（02）2662-6048　客服信箱｜parenting@cw.com.tw
法律顧問｜台英國際商務法律事務所・羅明通律師
內頁排版、製版印刷｜中原造像股份有限公司
總經銷｜大和圖書有限公司　電話：（02）8990-2588

出版日期｜2021 年 5 月第一版第一次印行
　　　　　2024 年 4 月第一版第五次印行

定價｜320 元
書號｜BKKP0270P
ISBN｜978-957-503-977-6（精裝）

訂購服務
親子天下 Shopping｜shopping.parenting.com.tw
海外・大量訂購｜parenting@cw.com.tw
書香花園｜台北市建國北路二段 6 巷 11 號　電話（02）2506-1635
劃撥帳號｜50331356　親子天下股份有限公司

國家圖書館出版品預行編目 (CIP) 資料

怕浪費奶奶 / 真珠真理子文 . 圖 ; 詹慕如譯 . -- 第一版 . -- 臺北市 : 親子天下股份有限公司 , 2021.05
40 面 ; 21×29.7 公分

ISBN 978-957-503-977-6(精裝)

861.599　　110004490